SEMELHANÇAS E DIFERENÇAS

Ciranda Cultural

SEMELHANÇAS E DiFERENÇAS

1. O que é, o que é? A diferença entre um carpinteiro e um bebê?

2. **O que é, o que é? A semelhança entre um hospital e uma aula de Matemática?**

3. O que é, o que é? A semelhança entre Minas Gerais e Copacabana?

4. O que é, o que é? A semelhança entre cobertor de lã no verão e um trem andando?

5. O que é, o que é? A diferença entre um jogador de basquete e a mentira?

6. O que é, o que é? A diferença entre o padre e o bule?

RESPOSTAS: 1. O carpinteiro quer boa madeira, e o bebê quer má-madeira. 2. Ambos fazem operações. 3. Ambos têm Belo Horizonte. 4. Os dois estão fora da estação. 5. O jogador de basquete tem pernas longas, e a mentira tem perna curta. 6. O padre é de muita fé; o bule é de pó-café (pouca fé).

SEMELHANÇAS E DIFERENÇAS

7. O que é, o que é? A diferença entre o poço e o soldado?

8. **Por que é que a igreja se parece com o mar?**

9. O que é, o que é? A diferença entre a fotografia e o Sol?

10. O que é, o que é? A semelhança entre o dinheiro e o segredo?

11. O que é, o que é? A diferença entre um forno e uma lagoa?

12. O que é, o que é? A semelhança entre burros e livros?

13. O que é, o que é? A diferença entre a fita adesiva e o avião?

14. A semelhança entre o padre e o carpinteiro?

RESPOSTAS: 7. O poço é fundo, e o soldado é raso. 8. Ambos têm velas. 9. A fotografia se tira, e o Sol se põe. 10. Ambos são difíceis de se guardar. 11. No forno assa pão, na lagoa há sapinho. 12. Ambos têm orelha. 13. A fita adesiva cola e o avião decola. 14. Ambos pregam.

SEMELHANÇAS E DIFERENÇAS

15. **O que é, o que é? A diferença entre a polícia e a Igreja?**

16. O que é, o que é? A semelhança entre o relógio e o noticiário?

17. O que é, o que é? A diferença do gato para o refrigerante de baixa caloria?

18. O que é, o que é? A semelhança entre o Ceará e um lugar onde há guerra?

19. O que é, o que é? A diferença entre o burro e o homem?

20. O que é, o que é? A semelhança entre Brasília e muito dinheiro?

21. O que é, o que é? A semelhança entre a rua e a camisa?

RESPOSTAS: 15. Na polícia, quem faz confissão é condenado, e na Igreja é absolvido. 16. Ambos dão o tempo. 17. O gato mia , e o refrigerante "Light". 18. Ambos têm Fortaleza. 19. É que o homem monta no burro, mas o burro não monta no homem. 20. Ambos são capital. 21. Ambos têm casas.

SEMELHANÇAS E DIFERENÇAS

22. O que é, o que é? A diferença entre o Sol e a mata?

23. **O que é, o que é? Tem no carro e tem na banda de rock?**

24. O que é, o que é? A diferença entre o porco e a rua?

25. O que é, o que é? A semelhança entre o verbo e o Buzz Lightyear?

26. O que é, o que é? O que o cirurgião e o matemático têm em comum?

27. O que é, o que é? A semelhança entre um elefante e um piano?

28. O que é, o que é? A semelhança entre quem morre e quem vive?

29. O que é, o que é? O que o trator têm em comum com o parque de diversão?

30. O que é, o que é? A diferença entre uma sapataria e um forno?

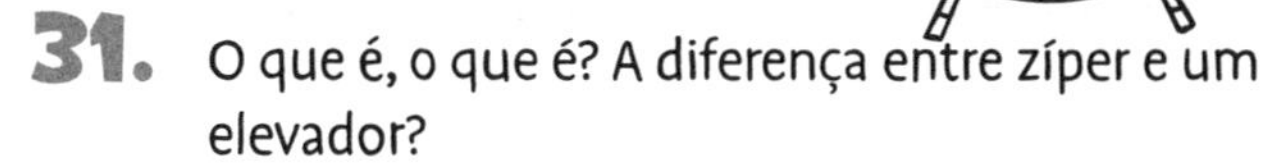

31. O que é, o que é? A diferença entre zíper e um elevador?

RESPOSTAS: 22. O sol dá luz, a mata cobra. 23. A bateria. 24. O porco tem lombinho, e a rua tem lombada. 25. Ambos vão ao infinitivo e além! 26. Vivem fazendo operações. 27. Ambos têm dentes de marfim, têm cauda, e nunca sabemos onde colocá-los. 28. Quem vive fica na Terra; e quem morre, na terra fica. 29. A roda-gigante. 30. Nela, há sapatos. Nele, assa pato. 31. O zíper sobe para fechar, e o elevador fecha para subir.

SEMELHANÇAS E DIFERENÇAS

32. O que é, o que é? A semelhança entre cachorros e ouro?

33. O que é, o que é? A semelhança entre as palavras proparoxítonas e a cadeira?

34. O que é, o que é? A semelhança entre uma pessoa prudente e um alfinete?

35. **O que é, o que é? A diferença entre uma laranja e um submarino?**

36. O que é, o que é? A semelhança entre um livro e uma partitura?

37. O que é, o que é? A semelhança entre o automóvel e a orquestra?

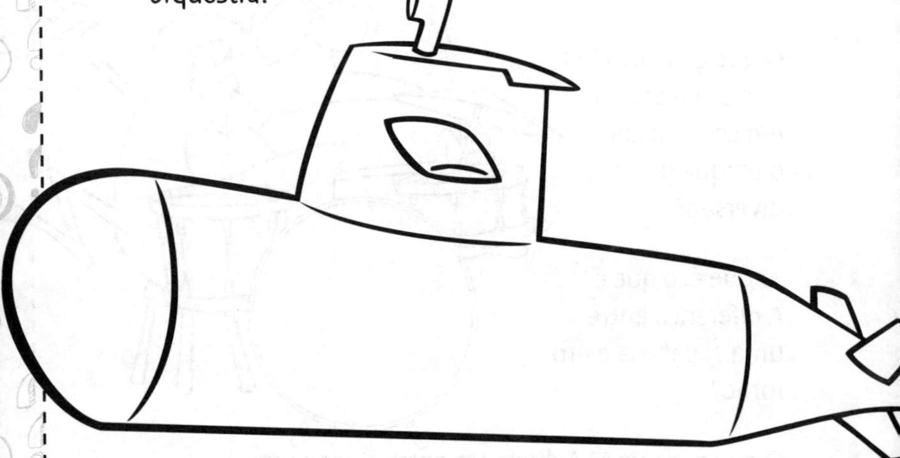

RESPOSTAS: 32. Tem uns qui-late. 33. Ambos têm acento. 34. A cabeça impede de ir longe demais. 35. A laranja tem água por dentro e o submarino tem água por fora. 36. Ambos repousam numa estante. 37. Ambos têm bateria.

SEMELHANÇAS E DIFERENÇAS

38. **O que é, o que é? A diferença entre o boi e o palhaço?**

39. O que é, o que é? A diferença entre o navio e o cavalo?

40. O que é, o que é? A diferença entre o cachorro e o carro?

41. O que é, o que é? A diferença entre o rabo do boi e o pão?

42. O que é, o que é? A diferença entre um elefante e uma pulga?

43. Qual a diferença entre o rádio e o olho?

44. O que é, o que é? A semelhança entre um trem e um juiz de futebol?

RESPOSTAS: 38. O boi gosta de palha crua, e o palhaço, de palhaçada. 39. O navio tem um casco, e o cavalo tem quatro. 40. O cachorro corre para pegar e o carro pega, para correr. 41. Com o rabo do boi se faz rabada, e com o pão se faz rabanada. 42. Um elefante pode ter pulgas, mas a pulga não pode ter elefantes. 43. O rádio tudo fala e nada vê, e o olho tudo vê e nada fala. 44. Ambos apitam na partida.

SEMELHANÇAS E DIFERENÇAS

45. O que é, o que é? A diferença entre o rato e o ácido?

46. O que é, o que é? A semelhança entre o professor e o termômetro?

47. O que é, o que é? A semelhança entre um país e uma porta?

48. **O que é, o que é? A semelhança entre um aluno distraído e a chuva?**

49. O que é, o que é? No que o joalheiro se parece com o mau cantor?

50. O que é, o que é? A semelhança entre um violão e um sino?

51. O que é, o que é? A diferença entre a camisa e a rua?

RESPOSTAS: 45. O rato rói, e o ácido corrói. 46. Às vezes, ambos dão zero. 47. Ambos têm bandeira. 48. Os dois caem das nuvens. 49. Um fura a orelha, e o outro fura o ouvido. 50. Ambos são instrumentos de corda. 51. A camisa tem casa só de um lado.

SEMELHANÇAS E DiFERENÇAS

52. O que é, o que é? A diferença entre uma montanha e um comprimido grande?

53. O que é, o que é? A diferença entre o tempo e a novela?

54. O que é, o que é? A diferença entre uma assembleia e um campeonato?

55. **O que é, o que é? A semelhança entre o pomar e o corpo de bombeiros?**

56. O que é, o que é? A diferença entre o elefante e a cama?

57. O que é, o que é? A diferença entre um corredor e um mergulhador?

RESPOSTAS: 52. A montanha é difícil de subir, e o comprimido é difícil de descer. 53. O tempo é o senhor da razão, e a novela é Senhora do destino. 54. Na assembleia, a maioria vence; no campeonato, a maioria perde. 55. Ambos têm mangueiras. 56. O elefante é paquiderme e cama é pa-qui-durma. 57. Um mergulhador gosta do mar no fundo, e o corredor, do maràtona (maratona).

SEMELHANÇAS E DIFERENÇAS

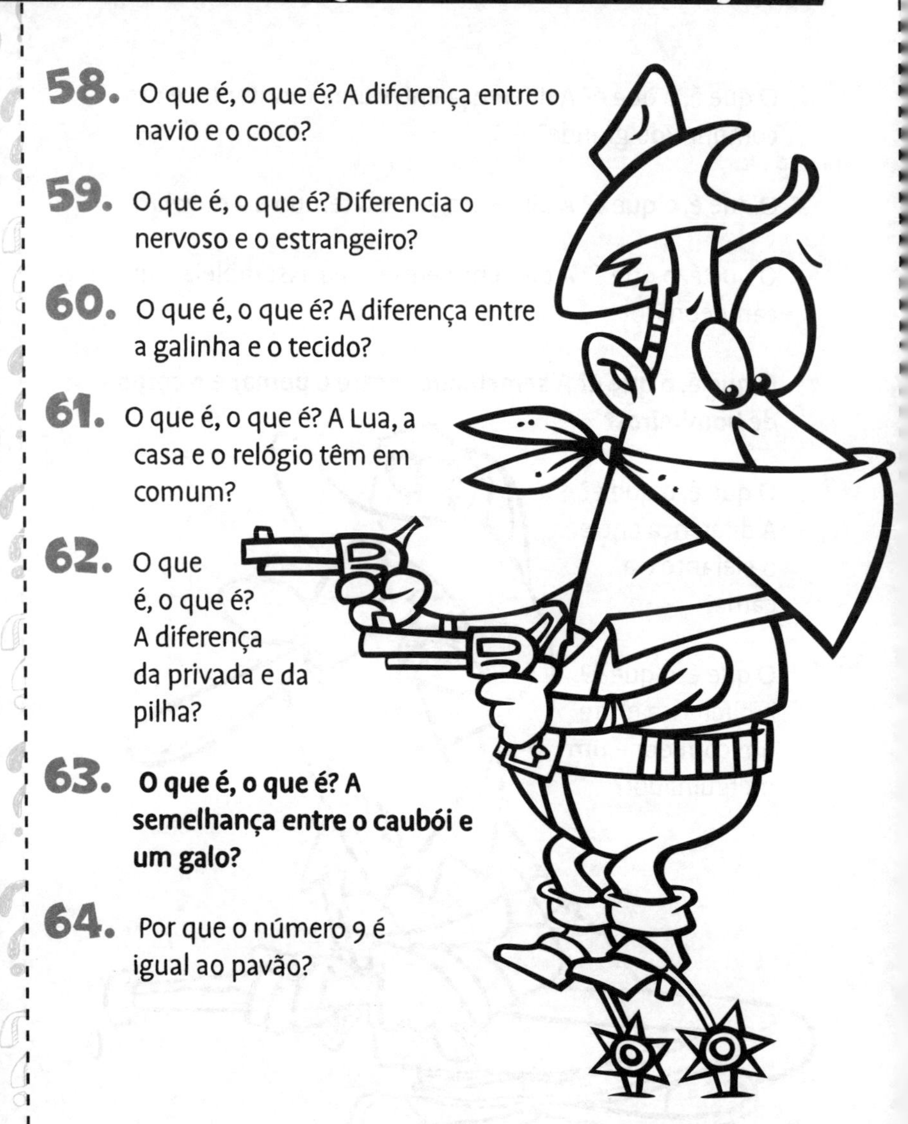

58. O que é, o que é? A diferença entre o navio e o coco?

59. O que é, o que é? Diferencia o nervoso e o estrangeiro?

60. O que é, o que é? A diferença entre a galinha e o tecido?

61. O que é, o que é? A Lua, a casa e o relógio têm em comum?

62. O que é, o que é? A diferença da privada e da pilha?

63. **O que é, o que é? A semelhança entre o caubói e um galo?**

64. Por que o número 9 é igual ao pavão?

RESPOSTAS: 58. O navio tem água por fora, o coco tem água por dentro. 59. O estrangeiro, sotaque; o nervoso, só tique. 60. A galinha bota, e o tecido desbota. 61. Todos têm quartos. 62. A pilha tem carga, e a privada tem descarga. 63. Ambos têm esporas. 64. Porque, sem o rabo, ambos não são nada.

SEMELHANÇAS E DiFERENÇAS

65. O que é, o que é? A diferença entre o Natal e o Ano-Novo?

66. O que é, o que é? A diferença entre um tomate e uma pintura?

67. O que é, o que é? A semelhança entre um táxi sem passageiros e um prisioneiro saído da prisão?

68. O que é, o que é? A diferença entre um sonolento e um mergulhador?

69. O que é, o que é? A diferença entre um cavaquinho e um saxofone?

70. O que é, o que é? A diferença entre os números e o segredo?

71. **O que é, o que é? A semelhança entre um som muito grave e um cinema que passa filmes estrangeiros sem legenda?**

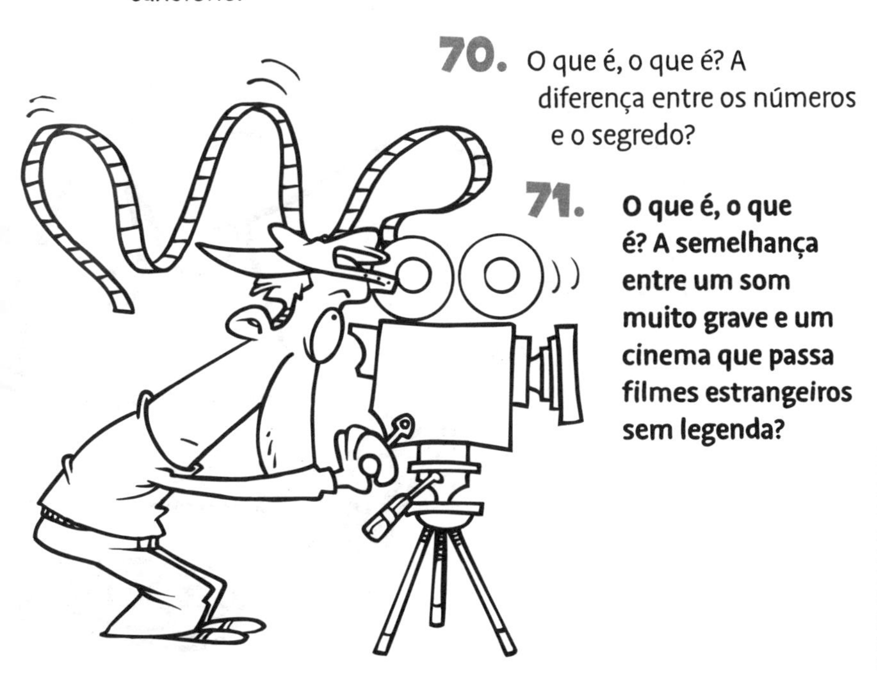

RESPOSTAS: 65. 7 dias 66. Um tomate você corta e a pintura descasca. 67. Ambos estão livres. 68. O sonolento tem um olhar superficial, e o mergulhador tem sempre um olhar profundo. 69. No cavaquinho, a palheta está na mão do executante; no saxofone, ela está na boca. 70. Os números se podem contar, o segredo não se pode contar. 71. Ambos têm frequência muito baixa.

SEMELHANÇAS E DIFERENÇAS

72. **O que é, o que é? A diferença entre a morte e o sapato?**

73. O que é, o que é? A semelhança entre o petróleo e o fósforo?

74. O que é, o que é? Os números 2, 10, 12, 16, 18 e 19 têm em comum?

75. Com o que se parece a metade de um abacate?

76. O que é, o que é? A Lua e a rua tem no mesmo lugar?

77. O que é, o que é? A diferença entre o Carnaval e a Páscoa?

RESPOSTAS: 72. A morte vem com tristeza, e o sapato vem com sola (consola). 73. Ambos são explosivos. 74. A letra D. 75. Com a outra metade. 76. a letra U. 77. 40 dias.

SEMELHANÇAS E DIFERENÇAS

78. O que é, o que é? A diferença entre um pião e um disco olímpico?

79. O que é, o que é? No que se diferencia a aspirina do elevador?

80. O que é, o que é? Está na mão e também se coloca no pão?

81. Quando é que a sala, a cozinha e o banheiro também são quartos da casa?

82. **O que é, o que é? A diferença entre um homem cansado e um bom negócio?**

RESPOSTAS: 78. O primeiro, a gente joga para rodar; e o segundo, a gente roda para jogar. 79. É que a aspirina abaixa a dor, não „elevador". 80. O til. 81. Quando a casa toda tem 4/4 e cada dependência é ¼.82. A diferença é 10 (dez): um homem cansado se senta (60); e um bom negócio se tenta (70).

SEMELHANÇAS E DIFERENÇAS

83. O que é, o que é? A semelhança maior entre um trem antigo e um churrasco?

84. O que é, o que é? A semelhança entre o estudante e o cantor?

85. **O que é, o que é? A semelhança entre a banda de rock e a escola de samba?**

86. O que é, o que é? A semelhança entre uma pessoa que vive em permanente mau humor e uma banana de dinamite?

87. O que é, o que é? A diferença entre os turistas dos Estados Unidos no Brasil e os míopes?

88. O que é, o que é? Está presente no carro e no campo de futebol?

RESPOSTAS: 83. Ambos são movidos a carvão. 84. Ambos querem atingir notas altas. 85. A bateria. 86. Ambos são explosivos. 87. Os turistas dos Estados Unidos no Brasil vêm de longe, e os míopes não vêem de longe. 88. Volante.

SEMELHANÇAS E DiFERENÇAS

89. O que é, o que é? A uva tem, a vinha tem e o vinho não tem?

90. O que é, o que é? A semelhança entre o galinheiro e uma pessoa que levou um tombo?

91. O que é, o que é? A diferença entre um gandula e um técnico de time?

92. **O que é, o que é? O que o youtuber e o dentista têm em comum?**

93. O que é, o que é? A diferença entre a segunda-feira e o sábado?

94. O que é, o que é? A semelhança entre um estudante preguiçoso e um gravador?

RESPOSTAS: 89. A letra A. 90. Ambos têm galo. 91. O gandula troca as bolas; o técnico bola as trocas. 92. Ambos fazem canal. 93. 4 dias. 94. Ambos vivem repetindo.

SEMELHANÇAS E DiFERENÇAS

95. O que é, o que é? A semelhança entre o Rio Grande do Norte e o fim do ano?

96. O que é, o que é? A diferença entre a galinha e o homem ambicioso?

97. O que é, o que é? A semelhança entre o caderno e a máquina de costura?

98. **O que é, o que é? A semelhança entre as chaves e o macarrão?**

99. O que é, o que é? A semelhança entre um elefante e o piano?

100. O que é, o que é? A diferença entre o médico e a água?

RESPOSTAS: 95. Ambos têm Natal. 96. A galinha comum procura milho, e o homem ambicioso, milhões. 97. Os dois têm linhas. 98. O molho. 99. Ambos têm dentes de marfim. 100. A água mata a secura, e o médico se cura, não mata.